劉福春・李怡 主編

民國文學珍稀文獻集成

第三輯

新詩舊集影印叢編　第105冊

【邵洵美卷】

天堂與五月

上海：光華書局 1927 年 1 月出版

邵洵美　著

花木蘭文化事業有限公司

國家圖書館出版品預行編目資料

天堂與五月／邵洵美　著 — 初版 — 新北市：花木蘭文化事業有限公司，2021〔民110〕

172面；19×26公分

（民國文學珍稀文獻集成・第三輯・新詩舊集影印叢編　第105冊）

ISBN 978-986-518-473-5（套書精裝）

831.8　　10010193

ISBN-978-986-518-473-5

9789865184735

民國文學珍稀文獻集成・第三輯・新詩舊集影印叢編（86-120冊）
第105冊

天堂與五月

著　　者　邵洵美
主　　編　劉福春、李怡
企　　劃　四川大學中國詩歌研究院
　　　　　四川大學大文學學派
總 編 輯　杜潔祥
副總編輯　楊嘉樂
編　　輯　許郁翎、張雅淋、潘玟靜　美術編輯　陳逸婷
出　　版　花木蘭文化事業有限公司
社　　長　高小娟
聯絡地址　235 新北市中和區中安街七二號十三樓
　　　　　電話：02-2923-1455／傳眞：02-2923-1452
網　　址　http://www.huamulan.tw 信箱 service@huamulans.com
印　　刷　普羅文化出版廣告事業
初　　版　2021年8月
定　　價　第三輯86-120冊（精裝）新台幣88,000元　

天堂與五月

邵洵美 著

邵洵美（1906～1968），原名邵雲龍，浙江餘姚人。

光華書局（上海）一九二七年一月出版。原書三十二開。

獅吼社叢書
天堂與五月

給佩玉

序詩

我也知道了，天地間什麼都有個結束；
最後，樹葉的欠伸也破了林中的寂寞。
原是和死一同睡著的；但這須臾的醒，
莫非是色的誘惑，聲的慫恿，動的罪惡？

這些摧殘的命運，汙濁的墮落的靈魂，
像是遺棄的尸骸亂鋪在淒涼的地心；

將來溺沈在海洋裏給魚虫去咀嚼吧，
啊，不如當柴炭去燒燃那冰冷的人生。

十五，十一，一，上海。

2

目次

天堂之什

天堂
花姊姊
頭髮
水仙吓
一首詩
我祇得也像一只知足的小虫
病痊

莎茀

漂浮在海上的第三天

憂愁

十四行詩

愛

詩人與耶穌

小燭

五月之什

戀歌

2

明天
愛
恐怖
春
夏
情詩
花
五月
莎弟
To Swinburne

我忍不住了
來吧
愛的叮囑
EX DONO DEI
童男的處女
Anch' io sono pittore!
頹加蕩的愛
日昇樓下

4

天堂

天堂

第一章

啊這枯燥的天堂，
何異美麗的坟墓？
上帝！
你將一切引誘來囚在裏面，
復將一切的需要關在外邊：
上帝！

來在這裏，
一切的一切便須貢獻給你；
犧牲了一切來做你的奴隸。
要想須想你，
要愛須愛你，
不願意也要願意！
上帝！

你雖然也有一班仙女——

2

月宮的戲子，
著敲冰冰冷的石磬；
吐著幽幽暗的銕簫；
唱著不入耳的歌；
吟著不動心的詩。
呵祇是一切的耳朵
和你自己的不同吓！
上帝！

你要知道，

愛和自私是連著的東西，
像好人難能完全脫離
壞的思想一般；
不過愛的自私與自私的愛
是兩樣東西吓。

上帝

你自己或許也眞以爲
天堂是快樂的吧；
人世是悲苦的吧？

4

但是人世的悲苦，
是有安慰的悲苦；
天堂的快樂，
祗是給不死時的活人
吃的長生丹吓。
上帝！
上帝！
我不敢領受你的愛吓！
你的愛眞是個火，

爲了愛水，
便把水燒乾了。
水被火愛了，
結果是個死。
我不敢領受你的愛吓！
上帝！

第二章
靑草叢裏的蘋菓樹
開了花了。

6

上帝！

你愛了！

你吐著絮語的和風；

你流著情淚的輕露。

花笑了；

像處女愛第一個情人

一般地愛你了，

結果了，

是你的能力吓！

上帝！

花結果了，
大了，
膨脹了，
圓滿了，
你笑了；
笑得瀺唾噴了，
雷吓雨吓，
果子落下來了。
是你的功勞吓！

8

上帝！
果子落下來了，
是自由的果子吓，
他沒有一切的束縛；
是知足的果子吓，
他落下在那裏，
便安心在那裏，
他不求生脚，
更不求生了脚，

跑上你的天堂！
這是你造成的果子吓！
上帝！

是你造成的果子吓，
你棄着不理。
他腐爛了，
他留下了根而化了，
根發芽了，
芽又成樹了，

10

樹又開花了，
你又愛了，
花又結果了；
你以一次得勝的工具，
當百次得勝的兵器，
居然你得勝了！
有了個蘋菓園。
上帝！

蘋菓園中，

滿結着蘋菓——
自由的果子，
知足的果子，
自由的知足的果子，
知足的自由的果子，
知足的知足的果子，
自由的自由的果子。
這滿園的果子吓，
是你的？
上帝！

12

滿園的果子，
你又將園門鎖了。
你不准人家去取；
人家自己有的，
你也去奪了來，
關在園裏。
這滿園的果子吓，
是你的？
上帝！

第三章

蘋菓園前，
坐着個殺旦看門。
他會像蛇般在牆上行走；
他會像馬般在山中狂奔；
他會像魚般在水心游泳；
他會像鳥般在天空飛騰；
刁詐是他的性格，
誘引是他的技能。

14

他祇以你當他的主人，
上帝！

蘋菓園前，
有塊無知覺的大石，
大石邊上，
躺着兩個可憐的人們。
他倆雖然有性的分別，
祇是誰也不知道
男女的本能。

他倆一起地睡着；
一起地走着；
一起地活着，
活在你這天堂裏面。
上帝！

他倆不知道快樂，
于是也不會快樂；
他倆不知道悲苦，
于是也不會悲苦；

16

他倆不知道羞恥，
于是也不會羞恥；
他倆不知道一切，
于是也不會一切！
上帝吓！
你既然使他倆不知道一切，
而不一切，
那麼爲甚要將他倆生了？
上帝！

恰好那一天，
又是你尋歡的日期。
空氣帶出了蘋菓的香味，
自然提高了殺旦的興趣，
他看着他倆，
亞當，
夏娃，
坐在一起，
他想着這園中的果子，
也得使他倆嘗些滋味。

18

啊好吃的東西，
應得使人人嘗些滋味吓！
上帝！

他輕輕地開了園門，
倫偷地藏入樹陰；
唱着入耳的歌，
吟着動心的詩。
亞當聽得了。
夏娃聽得了。

「啊我此地在燒。」
亞當指着臉。
「啊我此地在跳。」
夏娃指着心。
這是殺旦的工作了！
上帝！

他倆尋着歌詩，
進了園門。
啊沒吃到果子的人，

20

果子的顏色已使他們生津。
他倆嘗着試着！
相相地嘗試著！
他倆知道了！
但是他倆在知道
快樂悲苦羞恥一切以前，
先知道了愛！
上帝！

十五，四，十六，巴黎。

花姊姊

妹妹，
不要忘了花姊姊
她也穿過了
岳飛穿過了般的兵甲；
她也騎過了
關公騎過了般的戰馬；
跟了一般人

殺人。

似這般的黑夜，
家家哭着
和敵軍去交易生命的小卒。——
他們的爸爸，哥哥，弟弟，
丈夫，
叔叔，伯伯，姪子，甥兒，
兒子：
親生的兒子，

24

獨養兒子，
兩房合一子的兒子。
花姊姊，也便等着
罹兇血肉！

滴滴，答答，
大將的馬蹄聲，
小卒的足履聲，
——死神的竊笑聲：
「哈哈，今晚或是明朝，

上帝創造著的生靈
十月的懷胎，
多年的教養；
又當來在我的點名簿上
找他們的年月日時了。
哈哈，活著作甚？
本來是爲了死而生的！
「哈哈他們，——我的畜牲！
像牛般肥胖的，

26

像豬般愚憨的，
像羊般懦怯的，
像鷄般尖利的，
像鴨般頑固的，
像魚般瀟洒的，
像蝦般活潑的，
像…………。
哈哈他們，——我的畜牲！
我的早餐，
我的午膳，

我的夜飯，
哈哈他們，——我的畜牲！
有的血肉，
本來是給我吃吃喝喝的。」

月兒仍張著眼，——
牠看慣了的！
刀鎗耀著，
早印著一個個影子：
有的照進去了只手，

28

有的照進去了只脚，
有的照進去了半條腿，
有的照進去了半壁肩，
有的照進去了個頭，
有的…………。
這是他們運命的鏡子，
他們持著，
拖著，
揹著，
背著，

漸漸地近用着的時候了，

花姊姊更美麗了
她比往昔敷着粉更白，
她比往昔塗着脂更紅，
她看着多少的小卒——
多少的男兒——
好像一羣進宰場的畜牲。
也有知道一定死而示弱的，
淚涔涔流的，

30

也有以爲未必死而裝威的，
汗源源淌的，
你看看我我看看你的，
想說話說不出的，
有像虎的，
有像鼠的，
被煩悶逼着喊的，
被恐怖迫看叫的，
怕死而似乎不要活的，
想活而似乎情愿死的。

她想到她的爸爸，
她想到她的老了的爸爸，
她想到她的老了的爸爸
沒有年壯的兒子；
她想到她因此便
暫藏了小女子的嬌名，
假藉了大丈夫的英號，
受了殺人或是被人殺的命令，
來幹殺人或是被人殺的勾當。

32

她穿了孝的兵甲，
她騎了忠的戰馬，
她挾了義的長鎗，
啊，她一切都預備好了！

死神展開了他的翅翼了，
飛來又飛去，
他的兩柄翅翼吓，
正像是兩張黑幕；
被他蒙蔽了的，

便永久蒙蔽着，
成了秘密的秘密；
使人們興起了不少荒謬的解釋，
使人們揑造了許多虛妄的事實，
來回答這沒回答的問題；
死神也不來辯明，
也不來否認，
祇慢慢地將一個個來蒙蔽，
使一個個永久不明不白。

34

他飛到元帥的腦際，
元帥正雄雄勃勃地想着：
想着勝利的旗子，
想着偉大的城市，
想着厚重的酬賞，
想着光榮的名譽。

他飛到小卒的心頭，
小卒正幽幽鬱鬱地想着：
想着刀親人家的頭，

想着鎗吻自己的心，
想着不忍想的過去，
想着不敢想的將來。

他飛到宮中，
皇帝對着后妃嘻笑；
他飛到田邊，
鄉婦同著女媳唏嘘。
他飛到天上，

36

菩薩閉緊了眼，
菩薩本是無情的東西。
他飛到地下，
夜义伸長了頸，
在等着這一筆的生意。

死神又飛到花姊姊的身旁，
他大大地詫異驚慌！
聞不到一些的殺氣，
祇是陣陣的柔香；

貞潔之光
射得他的眼睛不能開張。
「心中沒有貪名的理想，
目中沒有求利的希望，
腦海中也沒有垢污的波浪。
像這般的人
怎麼也會來到這個地方？
啊，原來這細細的腰兒，
也纏繞着環境的網。

38

啊，怎的這細細的腰兒，
也纏繞着環境的網；
啊，可憐這細細的腰兒
竟纏繞着環境的網。」
死神這般地思忖，
痛惜也擠進了他的
鐵石的心腸。

月兒忽然把眼睛一閉，

急鼓四起，
號砲聲中的火光
在空中亂飛，
有魂的魂走了，
有魄的魄遁去。
千千萬萬沒魂魄的肢體：
斬着——倒着，
劈着——斷着，
刺着——破着，
狂風般的肉花了天，

40

暴雨般的血染了地。

「啊啊，哈哈，
活人的血，
死人的肉，
死人的血，
活人的肉，
啊啊，哈哈！」
死神的笑吓，
震動了天地：

殺殺殺！
你殺他，
我殺你，
他殺我，
他殺他，
殺殺殺！

殺殺殺！
我殺他，
他殺你，

你殺我，
他殺他，
殺殺殺！

殺殺殺！
一個殺一個，
一個殺兩個，
兩個殺一個，
兩個殺兩個，
殺殺殺！

死死死！
他死，
他死。
我死，
死死死！

死死死！
你半死，
他半死，

我牟死，
死死死！

死死死！
你也死，
他也死，
我也死，
死死死！

死死死！

45

一個死，
兩個死，
五個死，
十個死，
死死死！

死死死！
五十個死，
一百個死，
一千個死，

46

一萬個死，
死死死！
死死死！
幾萬個死，
多多少少個死，
死死死！
啊啊，殺殺殺！
啊啊，死死死！

啊啊，死不盡的殺！
啊啊，殺不盡的死！

啊啊死神眞忙吓，
啊啊死神眞忙吓，
前吓，
後吓，
左吓，
右吓，
來吓，

48

去吓，
啊啊死神眞忙吓！
啊啊死神眞忙吓！

啊啊死神眞忙啊！
啊啊死神眞忙啊！
啊啊，
吃吓，
喝吓，
喝吓，

吃吓，
這裏吃吓，
那邊喝吓，
這邊吃吓，
那裏喝吓，
啊啊！
啊啊死神眞忙吓！
啊啊死神眞忙吓！
什麼？

50

雷——雷不敢作聲，
什麼？
電——電不敢現形，
祇是——
祇是——
刀碰鎗，
鎗觸刀，
刀打刀，
鎗對鎗，
生生死死，

死死生生！

天明了，
番將逃了，
官兵勝了，
花姊姊領着，
死剩的活的，
小卒，
回營交令；
啊，死的完了

52

活的等着！

月兒又掛上天心，
小卒祇以爲是
引見死神的導燈，
最大的一粒鬼燐。
啊不，
今夜牠是來道喜的，
賀你們的得勝，
殺死了多少的活人，

能幹——微倖。

論功行賞，
元帥笑嘻嘻地
謝着大將小卒，
備了幾樣菜，
開了幾甏酒；
大家吃喝。
說說談談，
叫叫唱唱，

祇便算是
血肉的代價，
生命的安慰了！

花姊姊也傾了一盞，
暗暗地祝着
爸爸康健，
大家在危險中
都得到安甯。

花姊姊，這一次吓
見到了不少事情，
她知道人們本不是
絕對的殘忍，
那祇是受了
打不破的見解的慫慂，
跳不出的環境的誘引，
逼着活人
拜見死神；
叫你們人

56

醒的都睡，
睡的不醒。

她又知道
人們的爭鬪性，
也不是天生，
爲了怕自己死，
所以恨別人生；
提刀爲的是抵鎗，
拔劍爲的是遇刃；

57

但他們祇沒知道
怪人家要拿起凶器，
應當自己先棄去了利兵。

「啊，自私自私，」
她祇是疑惑着，
「也許這便是人們的罪名，
因而造物給以種種的苦刑：
不過造物萬靈
旣生之而復滅之，

58

為什麼不使之不生？」

天機的秘密不可洩漏，
佛法的玄妙萬難道明，
造物的狡獪（惡毒）
祇能也不解而存在
凡人的中心。

中天一個月亮，
四面散着疏星，

花姊姊悶悶的凝望；
她像懂得，
她沒懂得，
懂的是那
哀叫的一隻夜鶯。

十四，十一，六。劍橋。

60

頭髮

梅李霜特的頭髮吓，
你在明月下與明月爭光，
又一根根繞在你情人的頸上。

法摩夫人的頭髮吓，
被無情的手翦去了一束，
竟使有情的手寫成了不朽之作。

啊這北極雪山般白的頰上，
漂來一層淡紅芍藥色的輕浪；
那眼球眉梢及髮髻，
又像水獺休息在岸旁。

和風吹鬆了髮髻，
髮髻散披在肩上；
玉兎在月宮中望見了，
疑是嫦娥又離了天堂。

62

後半夜的夢醒，
白枕上的烏雲：
襯托出這一點紅星，
我將像天狗般狂呑。

啊情人的頭髮吓，
在情人心中打著結；
情人在這最短最快的時光裏吓，
分分秒秒祗是去解這無窮的結吧。

十五，一，三一，劍橋。

水仙吓

水仙吓！
你既然生在這汚濁的泥裏，
爲什麽還要有這一些的香氣，
竟使過路的我也想愛你？

水仙吓！
我踏進了泥裏把嘴來吻你，

但我又怎能將你採起？
　你早已落在這汚濁的泥裏！

風來風吻你，
雨來雨吻你。
你爲什麽不逃遁或是躲避，
還笑盈盈地立在這汚濁的泥裏？
你是不是已失卻了知覺，
那麽對我猶怎會有情意？

66

啊和你來講些什麼愛呢？
還是讓你住在這汚濁的泥裏！

十五，一，二一，劍橋。

一首詩

淚水在她臉上寫著Y，
掙扎的呼吸和
奔跑的心跳harmonize了；
她又將胸懷裏的煩惱，
寄託在手中打了結的帕上：
她又靠著長枕睡去了——
啊十五年一樣的夢！

十五，二，二五，倫敦●

70

我祇得也像一只知足的小虫

金鞋子的太陽，
白石的Venus de Milo.，
你們都是我
苦渴着愛時龍井的杯茶。

我生命像草芽已長出土面
誘惡的雨露曾餵我以精液；

甜蜜時罪惡是甜蜜的，
我竟從地獄中逃來這地獄的魔窟。

我知道了雲有善變的顏色；
見到了南北東西流蕩的浪漫之風；
我所明白的而又不明白的，
是陪伴着一切的高高太空。

你能對我說嗎，
這是否便是慾望的主宰？

72

他欺我以生之不盡死之無窮，
騙去了我們的美人白水青山。

他曾誇言他底萬能，
我却從未見他來在地上。
他祇有一件濕一件乾，
一件明一件暗的四件衣裳。

他來不到這裏——Louvre
也走不進Moulin Rouge

啊萬能的上帝吓，
已失掉了兩件莫大的榮譽。

啊先知所不肯解聖人所不能道的
像霧草在霧裏的神秘吓，
我祇得也像一只知足的小虫
爲趨迎着光明而投身入蛛網中吧。

啊金鞋子的太陽，
你要救我路又遠遙！

74

啊白石的 Venus de Milo、
你要援我你手已斷了！

Au Musée Du Louvre, Mars 1926

病痊

幾天不見巴黎，
巴黎的風也已老了。
否則怎麼竟會
吹到臉上粗糙不少？

巴黎我底巴黎，
我幾時會忘却了你？

我昨夜又夢見——
夢見你便是茶花女。

這樣可愛的你，
我怎愿人人來戀顧？
但怕同去鄉間，
你要嫌祇對着個我。

想想人又倦了，
一步分二步地回去。

78

一切是一切底，
一切終久是一切底！

十五，四，一，瞪正。

莎茀

蓮葉的香氣散着青的顏色，
太陽的玫瑰畫在天的紙上；
罪惡之爐的炭火的五月吓，
熱吻着情苗。

彈七絃琴的莎茀那裏去了，
莫非不與愛神從夢中相見？

啊儘使是一千一萬里遠吓，
請立刻回來。

你坐着你底金鸞車而來吧，
來唱你和宇宙同存的頌歌——
像新婚床上處女一般美的，
愛的頌歌吓。

你坐在蘆葦艇石上而唱吧，
將洶湧的浪滔唱得都睡眠；

那無情的亂石也許有感呢，
聽得都發呆。

藍筒布的同性愛的女子吓，
你也逃避不了五月的燒炙！
罪惡之爐已紅得血一般了，
你便進去吧。

你底常濕的眼淚燒不乾嗎？
下地的雨都能上天成雲呢。

83

罪惡之爐中豈沒有快樂在？
祇須你懂得。

彷彿有個聲音在空中喚着：
「莎蒂你有什麼說不出的苦？
說不出不說出當更加苦呢，
還是說了吧！」

海水像白鷗般地向你飛來，
一個個漩渦都對你做眉眼。

84

你仍坐着不響祇是不響嗎？
咳我底莎茀！

四，十四，巴黎。

漂浮在海上的第三天

是我漂浮在海上的第三天，
浪滔覆蓋了水面底笑顏。
啊這不見的深深裏有幾許秘密？
看吓好像是怨女底胸膛，
蘊藏着儘掙扎而猶不敢訴說的心事。
看吓好像是情人底眼睛，
包含了淚珠還待破碎的一日。

月光海色中間的我獨自思索──
雲角上是否烏暗的森林，
Olympus 之山巔？
我耳邊嗚咽着的，
是否Apollo底琴聲？
啊歸家的遊子底慚愧的心絃，
更怎當得譏誚底連續的撥彈！

十六，五，二四，地中海。

88

憂愁

你伴着養媳在竈前，
血紅的柴火也冰冷了；
你復將春雨般的淚珠，
不停地貢獻。

初戀者底心叢中，
你也曾銜了枝枝葉葉

去造個窩窟；
光明的胸懷便時常幽黑。

啊你懦怯底兄弟！
啊你恐怖底父母！
你要是也像桃花般淫蕩，
我便也將你採摘！

五，二九，紅海。

十四行詩

生命之樹底稀少的葉子，
被時光摘去二十一片了。
躲藏在枝間巢中的小鳥，
還沒試用他天賜的羽翼；
他曾低弄他細嫩的喉音，
但有汗濁而堅厚的霧幕，
擋住着幕中人不能聽得。

啊這柔嫩而稀少的葉子，
片片數來有幾個二十一？
那最忍耐而貪婪的時光，
總用他凶殘的手來採摘。
枯瘦的新枝根根暴露了，
雨淚打動了小鳥底心靈，
想去雲間慰安天底悲哀。

十五，五，三十，紅海。

92

愛

海面千萬條光魚
和浪兒拼在一起；
這便是愛，
這便是愛的眞諦。

一條山睡在霧裏，
霧將山攏在懷裏；

這便是愛，
這便是愛的原理。

雨珠兒儘吻着海，
海將雨吞在心裏；
這便是愛，
這便是愛的神秘。

海水叫月月不語，
浪兒化作點點淚；

這便是愛，
這便是愛的滋味。

十，六，四，印度洋。

詩人與耶穌

世界上來了個詩人，
沒飯吃的家裏多了個吃飯的。
啊處女的親兒天主的愛子耶穌吓，
詩人可惜不像你吓，
詩人可惜有了個娘又有個爹。
詩人可惜有了個娘又有個爹。

便誰也不以爲他負着有比你更重的使命！
你的使命是將信你的迎上天堂，
不信你的趕下地獄；
詩人的使命是叫人家自己造個天堂，
自己毀這地獄。

但是你的是聖者的明示，
他的是癡人的夢囈；
你的能說服萬千的愚魯的聽衆，
他的祇能取信於他自己，

98

或是和他一般的瘋子。
啊詩人可惜有了個娘又有個爹。

你在十字架上超昇了，
詩人還在自己飲自己的眼淚。
你的靈魂永生，
哈哈詩人在笑你的不死。

100

小燭

【一】

明月對我說：

「洵美！

你去點枝小燭

在我照不到的地方。」

【二】

白雲在黑夜中是灰的——

愛人！
你認識我麼？

【三】

白頭鳥低下頭去了
　他看見櫻桃
　　一天比一天紅了

【四】

熄燈以後——
情人的愛
　和一個不知名的勢力說：

102

「現在是你的世界了。」

【五】

白雲——

像夢一般帶着文氣來了！

像死一般留着詩意去了！

【六】

太陽睡了，

月亮醒了。

啊天堂地獄的門

是永久開着的吓。

【七】

隔岸的青草不說話。
啊，河水在彈琴。

【八】

五月！
你是早晚要去的……

104

五月

戀歌

碧玉的天池，
白璧的雲荷；
雲荷祇生在天池中，
天池中祇生着雲荷。

天池便是你，
雲荷便是我；

我祇生在你的心中，
你心中祇生着個我。

十四，十一　二七　劍橋。

明天

這朵黃花竟然開了，
一切都開了，
空氣的道上，
復忙着來往的行鳥。

白露兒儘吻着青草，
青草格格笑；

吻着又擁抱，
擁抱到相相混沌了。
流泉聲一聲聲低了；
黑夜中高叫，
叫來了紅日，
這便是希望的酬報。
他倆也不嫌天明早，
醒了好久了；

110

看美的綠天，
試穿那玉的白雲襖。

十四，十二，六，劍橋。

愛

誰沒聽到愛是這樣這樣的？
誰曾見得愛是怎般怎般的？
啊愛在那裏，
愛住在那裏？

爲了要和流泉接吻的小石，
早晚地在這冷山澗中候着；

愛曾在這裏，
愛常在這裏。

夜來了太陽便須走向別處，
月兒因將所有的光明賜與；
愛也在這裏，
愛慣在這裏。

春了夏夏了秋秋了又是冬，
四季永久生存在宇宙之中；

114

愛總在這裏，
愛愛在這裏。

十五，一，十五，劍橋。

恐怖

我底心中還留着你底小影，
我底嘴上却消了你底唇痕；
太陽的紅光已聚在山肩了，
啊那上燈的時分又要到了。

鼻裏不絕你那齷齪的香氣，
眼前總有你那血般的罪肌；

太陽的紅光已聚在山肩了，
啊那上燈的時分又要到了。

十五，四，十二，巴黎。

春

啊這時的花香總帶着肉氣，
不說話的雨絲也含着淫意
沐浴恨見自己的罪的肌膚，
啊身上的緋紅怎能擦掉去？

夏

純白的月光調淡了深藍的天色，
熱悶的喊叫都硬關住在喉嚨裏；
啊快將你情話一般溫柔的舌兒，
來塞滿了我這好像不透氣的嘴。

十五，四，二六，巴黎。

情詩

兩瓣樹葉般的青山，
夾着半顆櫻桃般的紅陽；
我將魂靈交給快樂，
火樣吻這水般活潑的光。

啊淡綠的天色將夜，
明月復來曬情人的眼淚

玉姊吓我將歸來了，
歸來將你底美交還給你。

十五，五，十五，巴黎。

花

天和地結婚便生了他，
自然教育着漸漸長大；
他知道了什麽是爱，
他知道了什麽是美。

他充滿了詩詞的美麗，
是無聲的音樂的具體；

便沒別的貢獻添助，
也盡了生命的義務。

他沒有姊妹沒有兄弟，
他不覺無聊反覺有趣：
大宇宙是他底宅寓，
枝和葉是他底伴侶。

他愛看他足下的溪溝，
向着無障礙處笑着流；

126

有時小石擱住中途，
他便從他身上跳過。

他也愛他頭上的白雲，
有超脫和高尙的精神；
雖有時友朋着灰濁，
但幾曾有一次墮落。

他愛風不被環境束縛，
自由地逍遙東西南北；

曾踏盡高山底頂蓋，
也曾吻遍了洋與海。

他知道了太陽底本能，
他知道了月亮底潔淨；
本能不是時間造成，
潔淨方有白的光明。

他最怕那悲哀的鳴鳥，
在甜蜜的空中說牢騷；

128

明明是快樂的歌調，
却含着眼淚來呼號。

他惜着那腥穢的世界，
憐着人們被齷齪淘汰；
他希望忍耐的雨珠，
把這汗漬一一洗去。

他便吞了仙神的露漿，
吐出了他氣息的芬芳；

將地獄染成了天堂，
一切煩惱消滅淪亡。

十五，六，一，印度洋。

130

五月

啊慾情的五月又在燃燒，
罪惡在處女的吻中生了；
甜蜜的淚汁總引誘着我
將顫抖的唇親她的乳壕。

這裏的生命像死般無窮，
像是新婚晚快樂的惶恐；

要是她不是朶白的玫瑰，
那麽她將比紅的血更紅。

啊這火一般的肉一般的
光明的黑暗嘻笑的哭泣，
是我戀愛的靈魂的靈魂；
是我怨恨的仇敵的仇敵。

天堂正開好了兩爿大門，
上帝吓我不是進去的人。

132

我在地獄裏已得到安慰，
我在短夜中曾夢着過醒。

十五，六，十。

莎茀

你這從花牀中醒來的香氣，
也像那處女的明月般祼體——
我又見你包着火血的肌膚，
你却像玫瑰般開在我心裏。

十五，六，二〇，中國海。

To Swinburne

你是莎茀的哥哥我是她的弟弟，
我們的父母是造維納絲的上帝——
霞吓虹吓孔雀的尾和鳳凰的羽，
一切美的誕生都是他倆的技藝。

你喜歡她我也喜歡她又喜歡你；
我們又都喜歡愛喜歡愛的神秘；

我們喜歡血和肉的純潔的結合；
我們喜歡毒的仙漿及苦的甜味。

啊我們像是荒山上的三朵野花，
我們不讓人種在盆裏插在瓶裏；
我們從爛泥裏來仍向爛泥裏去，
我們的希望便是永久在爛泥裏。

十，二十，中國海。

我忍不住了

我忍不住了我忍不住了！
白露總離不了秋的黑夜；
地的上面天天有個天在，
啊我怎能有一忽不見她？
我忍不住了我忍不住了！
燈儘望着月月儘望着燈；

偶然的風孃姍姍地步來，
我想抱她喲却撳痛了心。

十五，八、二十，夜半。

來吧

我便這樣地離了你，
我便這樣地離了帶淚的你，
你是染露的靑葉子，
我便像那花瓣吓落下了地。

啊你我底永久的愛……
像是雲浪暫時寄居在天海。

啊來吧你來吧來吧，
快像眼淚般的雨向我飛來。

十五，八，二十一，夜半。

愛的叮囑

你是知道了的，我怎樣愿
我底玉石之書去走進那金銀之寶庫！
進去了時你是知道的，
我底有歸宿的心又入了無目的的路。

爲什麼呢，好端端的魚
要獨自在泛濫洶湧的浪滔中去游泳？

爲什麼呢，小小的羊兒
要獨自在獅洞虎穴狼窩狐窟前游行？

啊使若你心愛的人兒
徘徊在比牢獄更可怕的陷阱之周圍，
你要是是有魂靈的人，
可仍像袒腹的荷葉臨着秋風般安泰？

啊已將疲憊而厭煩了．
從生之戶帶着快樂憂愁到死之門前。

144

啊開開的門戶太多了，
請勿再問來去的道路而對仇讎乞憐。

十五，九，二九、夜半三時。

Ex dono Dei

爲什麼白水的海洋不是白的，
千萬年的雨吓也洗不盡天地？
啊我曾在光明裏看見了黑暗——
穢汚的皮膚貼着乾淨的身體。

甜蜜的日中或是酸苦的月下，
我當吻着你的唇吻着你的心，

童男的處女

二十年的男人生活做着女子過了，
因了愛的媒介吓我竟嫁給了情感，
正像是戀着月而做那夜鬼的侶伴。

新婚的甜蜜的日子在睡夢中化去，
淫濫的情感又受了那環境的牽引，
在柔弱的動作的時期中私生煩悶。

羞恥逼迫着我自己造了屋子躲避，
躲避道德的詬罵以及禮敎的殘凌，
我是個不屈志不屈心的大逆之人。

啊上帝你是我的我的一切是你的，
你像收留耶穌般收留我的煩悶吧
他也曾以牛馬的資格叫人做牛馬（

150

Anch' io sono pittore!

我夢見立在愛普老的座旁，
玫瑰花的座周有小鳥歌唱；
莎蕣撥彈着她七絃的仙琴：
史文朋抱着他火般的愛光；

濟慈正睡醒了痴聽着夜鶯，
倒流的淚染苦了甜蜜的心．

他是個牧羊兒在草上橫臥。
月娘戰戰兢兢地過來偷吻：

啊這自然的圖畫的音樂的。
是萬蕾的靈魂吐出的詩句，
彼多文的新風南的變形吓，
又有着瓜綠的風景的神髓；

你這坦直多情的田夫彭思，
含淚時的你也總帶着笑意，

152

啊快樂是甜的憂愁也不苦，
鄉村裏的愛有天然的風味；

豆般的煙燈邊的是包特蕾，
你是不是天上墮落的魔鬼；
你把你的肉你的血做了詩，
你這妖兒豈也在地下生產？

我不見拜倫雪萊莎士比亞；
也不見詩歌的祖宗的荷馬；

積加蕩的愛

睡在天牀上的白雲，
伴着他的並不是他的戀人；
許是快樂的慫恿吧，
他們竟也擁抱了緊緊親吻。

啊和這一朵交合了，
又去和那一朵纏綿地厮混；

在這音韻的色彩裏，
便如此吓消滅了他的靈魂。

十五，十 五，上海。

日昇樓下

車聲笛聲吐痰聲，
倏忽的烟形，
女人的衣裙。

似風動雲地人湧，
有肉腥血腥
汗腥的陣陣。

屋頂塔尖時辰鐘，
十點零十分。
星中雜電燈。

我在十字的路口，
戰顫着慾情；
偷想着一吻。

十五，十，五，一路電車中。

158

天堂與五月之版權頁

中華民國十五年十二月付印
中華民國十六年一月發行

天堂與五月

本書實價四角

著作者 邵洵美
發行者 光華書局
印刷者 光華書局
總發行所 光華書局 上海四馬路